Annie Monner
Marie-Chantal
Évelyne Siré

Champion 1

Méthode de français

Corrigés des exercices

CLE
INTERNATIONAL

Corrigés

Unité 1

1

1. Il est libraire. **2.** Elle est médecin. **3.** Il est pharmacien. **4.** Elle est journaliste.

2

1. jeune. **2.** la rue. **3.** septembre.

3

1. – Tu **habites** à Paris? – Non, **j'habite** à Rennes.
2. – Il **est** journaliste. Il **travaille** à *Ouest-infos*.
3. Tu **travailles**? – Non, je **suis** étudiant. – Ah, tu **es** étudiant à Rennes?

4

1. – Qui est-ce?
2. – Qu'est-ce qu'elle fait?
3. – Tu as quel âge?
4. – Il habite où?
5. – Qu'est-ce que tu fais?
6. – Qu'est-ce qu'il fait?

5

1c, 2a, 3b.

6

C'est Édouard Ledoux. Il est employé. Il travaille à la banque BNP. Il habite 21, rue de l'Opéra à Paris.
C'est Émilie Cordier. Elle est pharmacienne. Elle habite 71, rue Gambetta à Rambouillet.

7

Questions: a, c, d, f, g, i, j, n, p.
Réponses: b, e, h, k, l, m, o, q.

9

1. Je suis étudiant. **2.** J'ai 27 ans. **3.** Je travaille à Bruxelles. **4.** J'habite à Paris. **5.** Je suis pharmacien.

10

1. Cécile, **elle** habite à Rennes.
2. Il est marocain.
3. **Elle** est française.
4. **Elle** est italienne, mais **elle** travaille en France.
5. **Elle** habite à New York, **elle** est américaine.

11

a. M. Leroi. **b.** médecin. **c.** 35 ans. **d.** rue de la Poste. **e.** rue de France.

12

a. 1. Pierre Marchand **2.** Marie Dubois **3.** Michel Petit **4.** Madame Bouvard **5.** Marco Fratelli.
b. Elle a 50 ans, elle habite à Nice.

Unité 2

1

1b ou 1e - 2e ou 2b - 3f - 4c - 5d - 6a.

2

une bière, un chocolat, une rue, un journal, un Coca, une nationalité, une adresse, une profession.

3

1. des chocolats, des bières, des jus de fruits ou des glaces.
2. des journaux et des cartes postales.

4

– Qu'est-ce que tu **prends**?
– Moi, je **prends** un café et un verre d'eau.
– Et vous, M. Beauchêne, qu'est-ce que vous **prenez**?

5

– Comment **allez**-vous?
– Je **vais** bien.
– Et vos enfants, ils **vont** bien?

6

– **Moi**, je voudrais un thé. Et **toi**, qu'est-ce que tu prends?
– **Moi**, un café.
– **Lui**, il est journaliste.
– **Elle**, elle est professeur.

7

Dessin 1: **1.** Faux. **2.** Vrai. **3.** Faux. **4.** Vrai.

8

Dessin 2: **1.** Faux. **2.** Vrai. **3.** Faux.

9

Je m'abonne… pour… au lieu de… Je paie… je voudrais… en cadeau… Je désire… au mois… de janvier. Voici mon nom et mon adresse.

10

J'entends le son [e] dans: a, c, f.

12

1. J'ai… étudiante… grecque. 2. Elle est médecin…
3. Envoyez un chèque bancaire… payez…
4. Je voudrais un numéro de téléphone, s'il vous plaît.
5. Tu es française… américaine.

13

Phrases vraies : L'homme commande un chocolat.
La femme commande un thé. Ça fait 4 euros.

14

1. une glace 2. une eau minérale 3. un Coca 4. un
café 5. une menthe à l'eau 6. une bière 7. un thé
8. un chocolat.

15

1. La jeune fille cherche une carte de France.
2. Elle demande aussi un timbre à 0,50 €.
3. Elle a un catalogue gratuit et c'est un cadeau.
4. La jeune fille paie 8 €.

Unité 3

1

1. restaurant   3. le prix   5. télévision.
2. douche   4. hôtel   6. chambre

2

une… la – la – la – les… la… le – un – le

3

– Bonjour, comment allez-vous ?
– Nous allons bien.
– Qu'est-ce que vous faites ?
– Nous sommes étudiants.
– Vous habitez où ?
– Nous habitons dans un appartement au centre-ville.

4

	est	travaillons	allez	va	font	faites	prend	veulent	ont	veut	avons	prends	ai
je												X	
il	X			X		X			X				
j'													X
vous			X			X							
elle	X			X		X			X				
ils					X			X	X				
nous		X								X			
elles					X			X	X				

5

1. Il aime le chocolat. 2. Il n'aime pas le café.
3. Il n'aime pas la bière. 4. Il aime la glace.

6

1. Faux. 2. Vrai. 3. Faux. 4. Faux. 5. Faux.

7

Questions possibles :
L'appartement est où ? Il fait combien ? Il est au
premier étage ? Il est calme ? Il y a l'ascenseur ?

8

1. Vous êtes espagnole ? Non, je suis italienne.
2. Je voudrais un appartement dans un immeuble
avec ascenseur.
3. Vous avez une chambre avec salle de bains ?
4. Ils sont anglais et ils habitent à Londres.
5. C'est un hôtel rue des Amis.

9

1. Elle demande une chambre avec douche.
2. Il commande un Coca et je voudrais une eau
minérale.
3. Elle travaille à Paris et elle habite aussi à Paris.
4. La cliente cherche une personne petite et calme.
5. Rue de l'Intendance, elle a une pièce à vendre.

10

Elle s'appelle Birgit Hansson, elle est suédoise, elle a
20 ans et elle étudie le français. Elle habite à l'hôtel,
mais elle cherche une chambre dans une famille
française, avant le 1er septembre.

11

1g - 2f - 3d - 4h - 5e - 6a - 7b - 8c.

12

1b - 2c.

13

Tarifs sans salle de bains
Chambre simple : 38 € / Chambre double : 57 €
Tarifs avec salle de bains
Chambre simple : 50 € / Chambre double : 65 €

Unité 4

1

1. Hôtel. 2. Pharmacie. 3. Restaurant. 4. Cinéma.
5. Théâtre. 6. Musée. 7. Tabac. 8. Poste.

2

au 2e étage – **à la** Tour Onyx – **à la** poste – **à l'**hôtel
du Lac.

3

1. Nous sommes espagnol(e)s. 2. Je suis allemand(e).
3. Elle est française. 4. Elle est portugaise.

4

1. Une libraire américaine.
2. Une dentiste italienne.
3. Une cliente japonaise.
4. Une secrétaire grecque.

5

Elle s'appelle Carla, c'est une jeune pharmacienne italienne. Elle est grande et calme.
Il s'appelle Kostas. Il est grec. Il a 25 ans, il est petit. C'est un bon étudiant.

6

1. C'est une petite maison blanche.
2. Nous aimons le café italien.
3. Bruxelles est une grande ville belge.
4. C'est une belle carte postale.

7

a. à droite. b. à gauche. c. tout droit. d. traverser. e. passer devant. f. dans. g. à côté de. h. entre... et ... i. devant. j. derrière. k. en face de.

8

1. Pour aller à la gare SNCF, tu prends la rue Émile-Zola, tu traverses la place des Lys et tu tournes à droite dans la rue Lepic, tu passes devant le supermarché et c'est à gauche dans la rue.
2. Pour aller à l'université, tu prends la rue Émile-Zola, tu traverses la place des Lys, tu passes devant la mairie, tu prends la première rue à gauche et c'est tout droit.

9

On entend la lettre *d* dans :
4. Il vend un lit **d**ouble.

10

On entend la lettre « t » dans :
1. Continuez tout droit. 2. Il est étudiant en maths.
3. Je voudrais un certificat de scolarité, s'il vous plaît.
6. C'est un agent immobilier.

11

On entend le son [t] dans :
2. C'est tout ? 4. Elle attend. 7. C'est un grand [t] Allemand ? 8. Non, c'est un petit Espagnol.

12

Tu prends le boulevard. Tu continues tout droit et tu tournes à droite. Il y a un petit restaurant. Le grand hôtel est à côté.

13

1. droite. 2. grande et blonde. 3. théâtre. 4. hôtel... toutes... télévision. 5. dentiste. 6. Tu... thé.

14

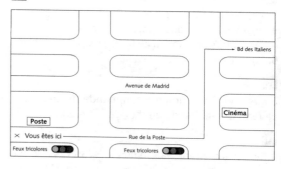

Unité 5

1

1. Les cent un dalmatiens.
2. Les trente-neuf marches.
3. Trois hommes et un couffin.
4. Les quatre cents coups.
5. Douze hommes en colère.

2

– Tu peux... – Je suis... je vais... Ils m'invitent...
– Vous téléphonez... Elle ne travaille... je crois.
– J'ai... Ça te convient ? – Je n'aime pas... je suis...
– Vous ralentissez... vous prenez... vous continuez... vous arrivez... – Je peux... – Vous attendez... il est... – Je ne peux pas... j'appelle.

3

a. Mme Leroux cherche ses papiers d'identité. À 10h, j'ai mon cours de tennis. Nous attendons des amis pour nos 40 ans de mariage. M. et Mme Vial aiment bien leur nouvelle maison. Vous pouvez me donner votre adresse ? Tu n'aimes pas ton appartement ?

b. 1. Nathalie prend son café... ses amis.
2. leur salon... leurs chambres...
3. ton nom, ton adresse... tes livres...
4. ma sœur...
5. Vos papiers ? Mes papiers... mon permis... ma carte...

4

Je vais : – au restaurant – à la gare – au musée – aux Galeries Lafayette – à la piscine – à l'hôtel.

5

1. ... un livre, le/mon livre bleu...
2. un nom italien ? ... le nom du dentiste...
3. le passeport de Louis ; dans le salon.
4. une chambre avec un lit pour une personne.
5. la chambre 12... le jardin.
6. Un café et une bière...

6

Type de loisir	Nom	Lieu
1. Théâtre	« La cantatrice chauve »	Paris
2. Cinéma	« Dis-moi que je rêve »	Paris
3. Restaurant	« Le Petit Zinc »	Lyon
4. Concert	« Les Pistes africaines »	Nantes
5. Son et Lumières	Cinéscénie	Puy du Fou

7

Vendredi à 13 h elle déjeune avec ses parents, à 18 h elle a son cours de tennis et à 20 h elle dîne avec Édouard.
Samedi à 10 h elle va à la piscine avec Julie, à 14 h elle a sa leçon de piano et à 19 h elle va au cinéma avec Odile et Pierre.

8

On entend [ã] comme dans « grand » dans :
a, c, d, f, h.
On entend [õ] comme dans « bon » dans :
b, e, g, i, j.

9

a. 5 fois b. 4 fois c. 3 fois d. 4 fois

10

1. Ils vont au restaurant.
2. Mon amie Cécile a une maison à la campagne.
3. Il a une chambre dans le centre-ville.
4. C'est combien ? Cent cinquante francs.
5. Ce sont des enfants. Ils ont trois ans.

11

	Quel jour ?	À quelle heure ?	Où vont-ils ?
Dialogue 1	samedi	à 9 heures et demie	à la piscine
Dialogue 2	vendredi	à 20 heures	au restaurant
Dialogue 3	samedi	à 21 heures	au concert
Dialogue 4	mardi	à 18 h 45	chez le médecin

Unité 6

1

1. un séjour. 2. date. 3. je suis.

2

a. – Vous connaissez… je pars… J'ai… ils habitent… Ils m'invitent… Je prends… j'arrive… Ce n'est pas… je paie… – C'est… Vous choisissez… – vous pouvez… vous voulez… – je ne veux pas/ je ne viens pas.
b. 1. Elles vont… 2. Nous prenons… 3. Nous partons… 4. Vous pouvez… 5. Elles envoient… 6. Ils ont… 7. Nous payons… 8. Vous prenez… 9. Elles veulent…

3

1. Oui, mon billet, je l'ai.
2. Oui, les nuits d'hôtel, nous les payons.
3. Oui, sa carte « Jeune », elle la prend.
4. Oui, les dates, ils les connaissent.
5. Oui, le forfait, vous le prenez/nous le prenons.

4

a. Phrases possibles :
1. Je pars à Houston, aux États-Unis.
2. Nous travaillons en Belgique, à Bruges.
3. Il est à Quito, en Équateur.
4. Ils travaillent à Rio, au Brésil.
5. Tu habites à Manille, aux Philippines.

b. 1. Pour aller au musée, vous tournez à gauche au feu… Vous arrivez à la pharmacie… est à côté.
2. … je pars en Italie… amis à Venise… appartement au rez-de-chaussée, en face de San Marco…
3. … va à la gare. Il part au Portugal… il arrive à Porto à minuit.

5

1. C'est Claude… Il est peintre. C'est un peintre impressionniste. Il est français.
2. Il est ingénieur. C'est le père… Il est français. C'est Gustave…
3. Ce sont des physiciens et ils sont français. Ils sont mariés. Ce sont Pierre et Marie Curie.

6

À l'hôtel du Lion d'or, on peut réserver une chambre. À l'université de la Sorbonne, on peut étudier la chimie. À l'Auberge de Venise, on peut manger une pizza. Au théâtre de l'Atelier, on peut voir une pièce.

7

On entend [i] dans : a, g, i, l.
On entend [y] dans : b, d, f, j, m, o.
On entend [u] dans : c, e, h, k, n.

8   Phrases entendues :

1. Son mari lit. 2. Il l'a lu. 3. C'est le pull. 4. Quelle allure ! 5. Il y a de l'abus. 6. C'est la vie. 7. C'est pur. 8. C'est au sud.

9

Bonjour, monsieur. Nous voudrions une chambre sur la cour, pour une nuit. Bien sûr, monsieur. Nous avons la chambre vingt-six.
Il habite où, Nicolas ? Il habite rue de la Poste, au numéro douze.

10

Dessin 1 : Un anniversaire, c'est sympa !
Dessin 2 : Les fêtes, il a horreur de ça !
Dessin 3 : Charlotte déteste les promenades.
Dessin 4 : Nous aimons bien aller au restaurant.

11

1. étudiante. **2.** 23 ans. **3.** non. **4.** non. **5.** non.
6. non. **7.** deux.

Unité 7

1 *Phrases possibles:*

1. Pour aller au mariage d'une amie, je mets une jolie robe verte. / je mets un joli costume bleu.
2. Pour travailler dans une banque, je mets un tailleur gris confortable. / je mets un élégant costume gris.
3. Pour faire du sport, je mets une vieille tenue de jogging blanche.

2

… vous prenez… Je prends… – vous mettez… Je le mets… – Ils connaissent… Sophie la connaît. – Vous avez… Je ne l'ai pas. – …vous choisissez? Je choisis… – Ils vont – Mireille va… Paul va… Nous allons…

3 *Phrases possibles:*

a. Elle dort dans cet hôtel deux étoiles. Il met cette cravate marron. Je voudrais ces chaussures noires. Vous connaissez cette adresse? Ils habitent dans cet appartement.
b. Ce pull… – Ce modèle… – … cette jupe… cette robe… – Ces vêtements… ces couleurs… – ce tailleur… – … ces chaussures… cette couleur et cette ceinture…

4

Mme Michaud est moins jeune, plus petite et elle est aussi laide que Mlle Laplace. Elle porte une jupe moins courte que Mlle Laplace.
Mlle Laplace est plus jeune et plus grande que Mme Michaud. Elle porte une jupe moins longue mais elle est aussi laide.

5

1. Oui, c'est sa ceinture.
2. Oui, c'est leur maison.
3. Oui, c'est son magasin.
4. Oui, ce sont leurs cahiers.
5. Oui, c'est mon appartement.
6. Oui, ce sont nos cafés.

6

1. demande de renseignement. **2.** acceptation.
3. demande de renseignement. **4.** refus. **5.** refus.
6. acceptation. **7.** acceptation. **8.** demande de renseignement. **9.** acceptation.

7

1. C'est une large ceinture.
2. C'est une jupe courte noire.
3. C'est une robe courte à manches courtes.
4. C'est un chemisier blanc à manches longues.

8 *Phrases entendues:*

1. Tu jettes ça! **2.** Tu connais ces gens? **3.** Elle a des joues rouges. **4.** Il cherche l'école. **5.** Elle a fait une jupe. **6.** C'est un rocher.

9

1. Jean vient toujours le jeudi. **2.** C'est un jeune ingénieur. **3.** Bonjour, je voudrais un jus d'orange, s'il vous plaît. **4.** Cette jupe rouge est très jolie.

10

1. Faux. **2.** Faux. **3.** Faux. **4.** Vrai. **5.** Faux. **6.** Faux.

Unité 8

1

1. restaurant. **2.** menu. **3.** plat. **4.** repas. **5.** régime.
6. recette.

2

Ne partez pas… Choisissez… partez/attendez… arrêtez… sortez… faites…

3

a. 1. de la salade… beaucoup **de** tomates et **du** fromage… **2.** une quiche avec **du** vin blanc. **3.** Vous avez **du** gigot avec **des** frites… beaucoup **de** frites… **4.** Je prends **de la** viande avec **des** haricots verts… **5.** Je prends **du** gâteau au chocolat avec **de la** glace… beaucoup **de** glace. **6.** Je voudrais **une** bière et **de l'**eau… un quart **de** vin. Vous avez **du** vin blanc?
b. 1. Non, je n'ai pas de fruits mais… **2.** Non, je ne mange pas de tarte, je… **3.** Non, elle ne veut pas de café, elle… **4.** Non, je ne prends pas de chocolat, je… **5.** Non, je ne veux pas de viande, je… **6.** Non, il ne prend pas de bière, il…

4

… tu choisis? – Je prends… – je ne sais pas… Tu connais… C'est bon? – … j'adore ça… tu peux… – … je suis… vous voulez… – … nous prenons… – Je mets… Nous voulons… – … Je reviens…

5

a. Prenez le téléphone. Mettez la carte… Attendez la tonalité. Faites votre numéro. Parlez à la personne.
b. Achetez **des** œufs, **de la** farine, un litre **de** lait, **du** sucre et **du** beurre. Mettez la farine, le sucre et un

peu **de** sel dans un saladier. Ajoutez les œufs un par un et mélangez bien. Versez le lait. Mélangez bien. Attendez une heure. La pâte est prête. Utilisez une poêle. Mettez **du** beurre dans la poêle et faites chauffer. Versez ensuite un peu **de** pâte et faites cuire trois minutes. Mangez les crêpes chaudes avec **du** sucre et **du** beurre. C'est délicieux !

6

1) Prenez deux tranches de pain. 2) Mettez une tranche de jambon sur la première tranche de pain. 3) Ajoutez du fromage sur le jambon. 4) Mettez la deuxième tranche de pain sur le jambon. 5) Faites cuire au four quinze minutes. 6) Mangez bien chaud avec une salade verte.

7

Par exemple, pour Fabienne : une salade verte avec des tomates, une tarte aux poireaux, du fromage et des fraises. *Pour François :* de la charcuterie, du gigot d'agneau avec des pommes de terre, du fromage et une tarte Tatin avec beaucoup de crème.

8

a. 5 fois. b. 5 fois c. 3 fois. d. 3 fois.

9

1. Ils aiment le chocolat.
2. C'est un grand appartement.
3. Les enfants sont à la maison.
4. Comment allez-vous ?
5. Les exercices sont importants.
6. C'est un livre sans intérêt.

10

– Vous avez de la salade de tomates ?
– Oui, bien sûr, monsieur.
– Moi, je choisis l'assiette de saucisson.
– Et comme boisson, qu'est-ce que vous désirez ?
– De l'eau avec de la glace, s'il vous plaît.

11

1. Faux – Faux – Vrai – Faux – Faux.
2. Vrai – Vrai – Faux – Vrai.

Unité 9

1

1. métro. 2. clé. 3. train.

2

… Qu'est-ce que tu as fait ? – J'ai passé… j'ai pris… Nous avons trouvé… Nous avons vu… et nous avons fait… – … j'ai passé… J'ai rencontré… j'ai visité… Et j'ai pris…

3

non – non – oui – non – si.

4

Ce matin, Hélène a téléphoné à sa mère. Cet après-midi, elle va à la piscine avec Lili. Ce soir, elle prend l'apéritif avec Paul et Virginie au Sélect. Hier matin, Hélène a vu le directeur des ventes à 10 h. Hier après-midi, la jeune femme a fait des courses au supermarché. Hier soir, elle a dîné chez ses amis Pierre et Monica. La semaine dernière, elle a déjeuné avec Charles Braudel et elle a eu une réunion avec des vendeurs/ elle a vu les vendeurs.

5

a. j'ai visité – b. j'ai fait – c. j'ai bu – d. J'ai pris – e. j'ai mangé – f. Il a fait – g. j'ai passé – h. j'ai rencontré – i. Nous avons parlé et ils ont été – k. J'ai passé.
a4, b3, c5, d6, e8, f7, g11, h9, i10, j1, k2, l12.

6

J'entends le son [ɛ] dans : a, b, c, d, e, f, h, i.

7   *Phrases entendues :*
1. Prends la pile. 2. Elle appuie. 3. C'est un faux.
4. Il achète le plan. 5. Mets le plein. 6. Il est beau, ce fort. 7. Donnez-moi beaucoup de parts.

8

a. 1. Mais enfin, qu'est-ce que tu fais ? 2. La pharmacie est fermée en février. 3. Les enfants, défense de téléphoner ! 4. Vous préférez ce portefeuille ?
b. 1. Il est sympathique, le patron. 2. Elle loue son appartement 381 € par mois. 3. Mon propriétaire s'appelle Paul Vasco. Il est portugais. 4. Cette promotion est exceptionnelle.

9

Phrases vraies : 2, 3, 5, 6, 7, 10, 11, 12, 13.

10

1. deux fois. 2. dans un restaurant. 3. un agenda et un sac. 4. rouge. 5. lundi matin vers 10 heures. 6. le modèle et la couleur du taxi. 7. un homme. 8. du lundi au vendredi. 9. à l'heure du déjeuner.

Unité 10

1

1. Tu finis / Tu as fini
2. J'ai perdu
3. Nous avons commandé
4. Hier, elle a mis
5. j'ai laissé / j'ai oublié
6. j'ai oublié / j'ai perdu
7. vous connaissez
8. J'ai envie
9. Je te propose

2

1. un parapluie. 2. un sac à main. 3. une clé. 4. un passeport. 5. un chéquier. 6. un portefeuille.

3

... J'ai commencé... j'ai arrêté... j'ai eu... ; je suis allé... j'y suis resté... – ... j'ai fait... – ... sont venus... ça a été...

4

en, le – À – pendant – Le, à – de, à, de, à – pendant.

5

au – En, au – y, y – y, y – en.

6

1. Vrai. 2. Vrai. 3. Faux. 4. Vrai. 5. Faux. 6. Vrai. 7. Vrai. 8. Vrai

7

... je suis partie... je suis allée... j'ai réservé... j'ai déjeuné... Nous avons parlé... je suis rentrée...

8

a. J'entends le son [o] dans : b, e, h, i, j.
b. *Phrase 1 :* 1 fois. *Phrase 2 :* 2 fois. *Phrase 3 :* 2 fois.
c. *Phrase 4 :* 3 fois. *Phrase 5 :* 2 fois. *Phrase 6 :* 4 fois.

9

un château, la photo, un numéro, un zéro, un tableau, un cocktail, une promenade, un cadeau, un forfait, un port, la scolarité, un gâteau.

10

a. La lettre « o » ne s'entend pas [ɔ] dans : journaliste, noir, vous, Blois, moi, Bonjour, monsieur, voudrais, nouvelle, voiture.
b. o + u = [u]   o + i = [wa]   o + n = [õ]

11

Photo 1 : Victor Hugo
Photo 2 : Charles Baudelaire
Photo 3 : Stendhal
Photo 4 : Honoré de Balzac

Victor Hugo, mort le 22 mai 1885.
Charles Baudelaire, naissance en 1821.
Stendhal, mort en 1842.
Honoré de Balzac, mort en août 1850.

Unité 11

1

1. économique. 2. puissante. 3. chère. 4. confortable. 5. élégante. 6. petit.

2

a. marié, célibataire, divorcé. b. avenue, rue, boulevard, place. c. entrée, chambre, pièce. d. train, TGV, avion. e. château, église.

3

1. Vous avez quel âge ?
2. Vous lisez quels journaux ?
3. Vous aimez quelles boissons ?
4. Vous faites quel sport ?
5. Vous mangez quels fruits ?
6. Vous connaissez quels pays ?

4

1. Il va trouver un bon travail. 2. Il va faire un grand voyage. 3. Il va rencontrer une femme étonnante. 4. Il va avoir des enfants. 5. Il va acheter une maison.

5

1. Pour moi, la tour Eiffel est le monument le plus beau. 2. Pour moi, la cuisine italienne est la cuisine la meilleure. 3. Pour moi, Paris est la ville la plus belle. 4. Pour moi, Einstein est l'homme le plus célèbre.

6   *Phrases possibles :*

François est plus vieux que Christine. Il est aussi sympathique qu'elle et aussi sportif qu'elle.
L'appartement de Christine est moins grand que l'appartement de François.

7

Phrases vraies : 1, 2, 5.

8

Exemple :   Chère Sophie,
   Hier je suis allé au château d'Auvers. J'ai vu des tableaux de Van Gogh. Et j'ai visité une exposition sur les Impressionnistes. Super !
   J'espère que tu vas bien.
   Je t'embrasse.
                              Marie

9   *Phrases entendues :*

1. Je vais prendre un bain chaud. 2. Il a bu. 3. C'est à vous ? 4. Il sent bon. 5. Il y a un grand vent. 6. Elle arrive dans le bar.

10

1. J'aime bien cette vieille voiture blanche. 2. Voici votre billet d'avion. C'est un voyage très avantageux. 3. Je voudrais m'abonner à la revue *Vacances*. Vous pouvez m'envoyer un bon ? 4. Cette robe bleue va bien avec vos bottes vertes.

11

L'enregistrement correspond à l'annonce 2.

Unité 12

1

nuage, orage, pluie, averse, soleil, météo, vent.

2

Ce **matin**, en Bretagne et sur le **nord** de la France, il y a **de la pluie** et **des averses**. Dans le **sud**, il y a **du soleil** et il fait **chaud**. Dans les Alpes, il y a **des nuages** dans le ciel et **du vent**, mais il n'y a pas **de** neige.

3

1. Le mois prochain, il va déménager, il va changer de travail, il va suivre un régime, il va prendre une inscription au Gymnase Club, il va acheter une voiture, il va aller en vacances au Mexique.
2. L'année dernière, il a déménagé, il a changé de travail, il a suivi un régime, il a pris une inscription au Gymnase Club, il a acheté une voiture, il est allé en vacances au Mexique.

4

en, en, au – de, dans – du, au – à, à – À, de, de.

5

1. On part de Sarlat.
2. Le séjour est de huit jours.
3. Non, on peut partir un samedi ou un mardi.
4. Non.
5. Il y a six jours de marche.
6. Non, en avril, c'est 3 180 francs et en août, c'est 3 340 francs.

6 *Lettre possible :*

Chère Émilie, j'ai passé huit jours avec Maman à Perpignan. Il a fait un temps magnifique : il y a eu du soleil tous les jours. Nous avons pris une chambre dans un hôtel près de la plage et j'y suis allée tous les jours. J'ai joué au tennis et j'ai fait du volley-ball. Avec maman, j'ai fait des promenades dans les vieux villages de la région et nous avons visité un château du xvᵉ siècle. À l'hôtel, nous avons rencontré des gens très sympathiques et nous avons joué aux cartes avec eux. Ils ont fait une fête le dernier jour et j'y suis allée. Je suis rentrée à l'hôtel à quatre heures du matin. À bientôt, bisous, Fanny.

7

J'entends le son [r] dans : a, c, d.

8

Phrase 1 : 4 fois. *Phrase 2 :* 4 fois.

9

Phrase 3 : 7 fois. *Phrase 4 :* 4 fois.

10

1. Je m'appelle Anne et vous, quel est votre nom ?
2. Tu peux appeler les enfants !
3. Quelle est votre nationalité ? Vous êtes allemand, non ?
4. J'ai une nouvelle adresse.
5. Le français, ce n'est pas difficile !

11

On n'entend pas la lettre « l » dans : portefeuille, taille, fille, vanille, travail.
« ill » s'entend [j] sauf dans : ville et Lille.
« ail » et « aille » s'entendent [aj].

12

1. On arrive par le train du soir.
2. Je cherche le numéro de téléphone et l'adresse de monsieur Raymond.
3. Cette ceinture marron va bien avec ton tailleur orange.
4. Mélangez le beurre, la farine et le sucre.
5. Arrêtez-vous, je veux descendre.

13

Lundi : pluie, éclaircies, un peu de soleil.
Mardi : nuages, températures fraîches.
Mercredi : soleil, orage.
Jeudi : nuages.
Vendredi : soleil, températures douces.
Samedi : pluies, températures douces.
Dimanche : nuages, éclaircies, températures douces.

14

Il y a deux ans : a.
L'année dernière : c, d, g.
L'année prochaine : b, e, f, h.

Unité 13

1

1. de la musculation.
2. un pharmacien.
3. un diététicien.
4. on maigrit.
5. la plage.
6. un musée.

2

... **du** sport – ... beaucoup **de** sport... un peu **de** vélo... **de la** natation... – ... **de la** gymnastique... **du** tennis... – ... **de l'**exercice – ... **du** jogging et **du** yoga... **de la** voile... **du** ski – Je ne fais pas **de** sport... un peu **de** yoga... **de la** musique... je joue **du** piano.

3

a. *Questions possibles :* Vous achetez des maga-
zines ? Tu veux du fromage ? Vous faites du jogging ? Vous voyez souvent des films policiers ?
b. je ne l'ai pas vu… je voudrais le voir… Elle les a
tous… – … tu la connais… Je te l'ai présentée… –
Elle en a au moins… – … elle ne l'a pas… – … tu
veux aller le voir.

4

a. – Tu te lèves… – Je me réveille… je me lève… –
Tu prends… – … je me lave… je me prépare… Je
ne déjeune pas… Je pars… – … vous faites… vous
rentrez… – … nous arrivons… nous nous repo-
sons… Nous nous asseyons… nous parlons… je me
détends… j'écoute… Ma femme prépare… – Nous
nous installons… nous nous couchons.

b. 1. Assois-toi…   **4.** Inscrivez-vous…
2. Mettez-vous…   **5.** Détends-toi…
3. Prépare-toi vite.   **6.** Reposez-vous…

5

1. Vrai. **2.** Vrai. **3.** Faux. **4.** Faux. **5.** Vrai.
a. La ville est au sud de la Bretagne. L'hôtel est situé
sur le port, tout près de la plage et des commerces.
Le restaurant donne sur la mer.
b. Le climat est doux. L'ambiance est calme. Les
chambres de l'hôtel sont très confortables. La cuisine est délicieuse et variée. Les plages sont belles.

6

Chère Martine, j'ai passé 5 jours extraordinaires à la
thalasso de Bénodet. C'est une petite ville au sud
de la Bretagne, mais le climat y est doux et il y a des
plages de sable très belles. L'hôtel donne sur la mer
et les chambres sont très confortables. J'ai fait des
promenades sur la plage et j'ai mangé une cuisine
délicieuse au restaurant de l'hôtel.
Je t'embrasse. Juliette.

7

On entend le son [f] dans : a, d, g, k.
On entend le son [v] dans : b, c, e, f, h, i, j.

8

1. La pharmacie est fermée ?
2. Cette recette est difficile à faire ?
3. Il me faut cent francs.
4. C'est une famille de trois enfants.
5. Qu'est-ce que vous faites pendant les fêtes ?
6. Pierrot, finis ta glace à la fraise !

9

1. Faux. **2.** Vrai. **3.** Faux. **4.** Faux. **5.** Vrai. **6.** Faux.
7. Vrai.

Unité 14

1

1. Elle lève la main. **2.** Elle est couchée sur le dos.
3. Il a mal aux reins. **4.** Elle lève une jambe. **5.** Il a
mal aux dents. **6.** Il a un gros ventre.

2

1b - 2d - 3f - 4c - 5a - 6e - 7g.

3

(Elles) ont pris… elles sont parties… Elles ont choi-
si… Elles se sont installées… elles ont loué… elles
sont montées… elles sont arrivées… elles ont mis…
elles sont descendues… (Elle) est tombée… elle
s'est fait mal… (Elle) a appelé… Il est arrivé… on a
descendu… Elle y est restée… elle est sortie…

4

a. 1. j'ai… je me fais… ça va… **2.** … tu ne dors
pas… tu te lèves… tu peux… **3.** (Elle) a du mal à se
baisser… **4.** Nous voulons nous inscrire… Nous
venons nous informer… **5.** Vous êtes… vous devez
vous reposer.

b. 1. Sophie et Caroline sont venues chez nous ; elles
se sont assises et elles ont bu un café.
2. Une petite fille est tombée dans la rue ; une voiture s'est arrêtée et la petite fille s'est relevée.
3. Paul et Louis sont partis en week-end ; ils ont loué
une voiture, ils ont eu un accident mais ils ne se sont
pas fait mal.
4. Ma femme s'est baissée, elle s'est relevée ; elle
s'est fait mal aux reins, elle s'est massée et elle s'est
couchée.
5. Nos amis se sont informés sur un voyage ; ils se
sont inscrits et ils sont partis…

5

1. Quand tu étais jeune, tu ne faisais pas de jogging
le dimanche. **2.** Quand j'étais jeune, je ne buvais
pas de vin. **3.** Quand elle était jeune, elle ne se cou-
chait pas de bonne heure. **4.** Quand nous étions
jeunes, nous sortions les soirs de semaine. **5. Qu**and
on était jeunes, on avait beaucoup d'amis. **6.** Quand
vous étiez jeunes, vous ne travailliez pas 39 heures
par semaine. **7.** Quand j'étais jeune, je n'allais pas
souvent au théâtre.

6

… je jouais **au** volley… **de la** natation… **de la**
danse… Je ne fais plus **de** volley… j'ai mal **aux** reins.
… j'allais **à l'**université… j'allais **au** cinéma, **à la**
Comédie… Je faisais **de la** musique… **du** violon… je
ne fais plus **de** musique… **à** l'opéra et **au** concert…
– **de l'**équitation… beaucoup **d'**équitation.

7

1. Faux. **2.** Vrai. **3.** Faux. **4.** Faux. **5.** Faux. **6.** Vrai. **7.** Vrai.

8

Avant, Patrick et Juliette étaient un couple. Ils vivaient dans un appartement en ville. Ils n'avaient pas de voiture. Lui, il portait un jean et une chemise, il était maigre. Ils n'avaient pas de chien. Juliette, elle, portait une longue jupe à fleurs et elle avait les cheveux longs.

Maintenant, Patrick et Juliette ont trois enfants. Ils vivent dans une grande maison avec un jardin. Ils ont une grande voiture. Lui, il porte un costume et une cravate et il est gros. Elle, elle porte un tailleur et elle a les cheveux courts.

9

On entend le son [œ] dans : a, b, d, f, g, j.
On entend le son [ø] dans : c, e, h, i.

10

Jeudi, je vais au cinéma avec ma sœur, tu veux venir avec nous ? La séance est à deux heures.
Ah non, je ne peux pas, je vais chez le docteur.

11

Conseils : 1. Buvez beaucoup d'eau. **2.** Marchez une ou deux heures par jour. **3.** Il vaut mieux arrêter de fumer aussi.

Unité 15

1

1b - 2c - 3a - 4b.

2

1. chaise. **2.** appareil photo. **3.** bière. **4.** rester.

3

a. 1. ... le portefeuille que... **2.** La lettre qui... **3.** ... le courrier que... **4.** La voiture que... **5.** ... le musée que... **6.** ... la rue qui...

b. 1. Tu veux ce gâteau que je ne peux pas finir ?
2. Vous aimez ce tableau qui est dans le salon ?
3. Nous connaissons cet homme qui lit dans...
4. Elle choisit un voyage que j'ai fait...
5. Elle achète des fruits qui viennent de...
6. Ils ont un nouvel appartement qu'ils louent 457 €...

4

1. C'est M. Leroi qui connaît bien Rome ?
2. C'est toi qui travailles dans ce bureau ?
3. C'est ton directeur que vous invitez ce soir ?

4. C'est moi qui vais répondre à ce courrier ? / C'est nous qui allons...
5. C'est ce stage que tu dois faire pendant l'été ?
6. C'est sa nouvelle secrétaire qu'il veut nous présenter ?
7. C'est ton père qui habite ici ?

5

1. Non, je ne fais pas d'études.
2. Je ne suis plus étudiant.
3. Je ne fais plus de stage.
4. Je ne cherche pas de travail.
5. Je ne veux plus travailler pour *L'Express*.
6. Je ne vais jamais à l'Agence pour l'emploi.

6

Je ne suis jamais sorti(e) de mon pays/Je ne suis pas encore sorti(e)... Cette année, je n'ai jamais eu envie de voyager. Je n'ai pas étudié de langues étrangères. Je ne suis pas allé(e) visiter de musées cette année. Je n'ai jamais eu/pas encore eu de travail de relations publiques. Je n'ai pas parlé/Je n'ai jamais parlé avec des guides de leur profession. Je n'ai pas toujours été patient(e) et aimable.

7

1 et 8 – 2 et 7 – 3 et 5 – 4 et 6.

8

Monsieur,
je vous écris pour le poste de secrétaire que vous proposez dans votre journal (annonce 04188).
J'ai travaillé comme secrétaire pendant trois ans au journal *Ouest-France*. Je parle anglais et espagnol et je sais travailler sur un ordinateur. Je suis jeune, dynamique et j'aime les voyages. Vous pouvez me téléphoner au 02 48 65 07 05. (Claire Deniseau).

9

Identique : c, g.
Différent : a, b, d, e, f, h.

10

Phrases entendues :
1. Il a fait un pont. **2.** C'est du bordeaux. **3.** Tu as pris un bon bain. **4.** C'est un vieux pot. **5.** C'est un bon plan.

11

1. ... présente ... rapidement...
2. ... appelé ... appartement...
3. ... peut... places.

12

Les erreurs : 29 ans, un peu anglais, très bien russe, au Royaume-Uni, pendant deux ans à Marseille, une entreprise de bureautique.

Unité 16

1   Chère Madame, Cher Monsieur,
J'ai été très **heureuse** d'apprendre le **mariage** de Valérie que je **connais** depuis longtemps. Je suis **désolée** mais je ne serai pas **en** France **le** 16 juin, je serai **au** Canada pour mon travail. Je suis sûre qu'il fera **beau** ce jour-là et que la **fête** se passera bien. Je vous **remercie** pour votre **invitation**. Embrassez Valérie et Antoine pour moi. Amitiés. Sophie.

2

Pierre dit qu'il vend sa voiture le mois prochain. Sandrine dit qu'ils (elles) voient leurs amis samedi soir. Véronique dit qu'elle a fini son stage. M. et Mme Lebrun disent qu'ils ont reçu votre invitation. Cécile dit qu'elle a perdu ses gants au cinéma.

3

Tu devrais t'inscrire à des cours. Vous devriez écouter la radio. Tu devrais regarder la télévision. Vous devriez rencontrer des amis français.

4

– ... j'**y** suis allé... – Je l'ai trouvée très... – Je **les** ai félicités... – ... tu **les** connaissais ? – ... je **la** croyais plus... Je dois **le** voir... – Tu **lui** as demandé... – ... qui m'**en** a parlé... – ... je ne **les** ai pas revus... tu peux **leur** téléphoner.

5

1. Vrai. **2.** Faux. **3.** Faux. **4.** Vrai. **5.** Vrai. **6.** Faux. **7.** Vrai. **8.** Faux. **9.** Faux.

6

On entend le son [w] dans : a, b, d, e, g, i.

7

On entend le son [j] dans : b, c, d, f, g, i.

8

Phrase 1 : 4 fois. *Phrase 2 :* 5 fois.

9

Phrase 1 : 4 fois. *Phrase 2 :* 5 fois.

10

1. Il est italien, mais il habite Marseille avec sa fille. Oui, je sais, et sa femme est tunisienne. **2.** Deux billets pour Lyon, s'il vous plaît. En train ou en avion ? Je vous conseille le train... c'est merveilleux ! Vous croyez que le voyage se passera bien ? **3.** Achète une bouteille de vin chez l'épicier.

11

Première interview : **1.** Faux. **2.** Faux. **3.** Vrai. **4.** Ils sont mariés depuis 10 ans.
Deuxième interview : **1.** Vrai. **2.** Faux. **3.** Faux.
Troisième interview : **1.** Vrai. **2.** Vrai. **3.** Faux. **4.** Vrai. **5.** Faux. **6.** Vrai. **7.** Faux.